À tous ceux qui cherchent l'extraordinaire
dans les choses ordinaires.
E.T.

Sergey Trukhan

Ekaterina Trukhan est auteur et illustratrice. Pour créer ses dessins colorés, elle s'inspire de la vie quotidienne, des illustrations des années 1950 et des livres qu'elle lisait quand elle était enfant. Originaire de Russie, elle vit et travaille aujourd'hui à Londres, où elle a étudié au Camberwell College of Arts.

Cet ouvrage est l'adaptation française de *Apples for Little Fox*, publié pour la première fois en 2017 par Random House Children's Books, une marque de Penguin Random House LLC, New York.

© Ekaterina Trukhan 2017 pour le texte et les illustrations.

Direction de la publication : Sophie Chanourdie
Édition : Magali Corbel
Responsable artistique : Laurent Carré
Mise en pages : Pascale Darrigrand

© Larousse 2017 pour la version française
21, rue du Montparnasse
75283 Paris Cedex 06

ISBN : 978-2-03-593376-8
Imprimé en Espagne
Dépôt légal : septembre 2017
319289-01/11034845-août 2017
Conforme à la loi n° 49956 du 16 juillet 1949
sur les publications destinées à la jeunesse.
Tous droits réservés.

PAPIER À BASE DE
FIBRES CERTIFIÉES

LAROUSSE s'engage pour l'environnement en réduisant l'empreinte carbone de ses livres. Celle de cet exemplaire est de :
300 g éq. CO$_2$
Rendez-vous sur
www.larousse-durable.fr

Ekaterina Trukhan

Petit Renard
et le **mystère** des **pommes perdues**

Traduction d'Emmanuelle Kecir-Lepetit

LAROUSSE

**Petit Renard
adore les mystères !**
Au lieu de chasser
les poules, il préfère dévorer
des histoires de détective.

Ce petit renard pas comme les autres
a un rêve secret : il voudrait être
un grand enquêteur, comme les héros
de ses aventures préférées.

Bonjour,
Petite Souris !

Chaque matin, Petit Renard file
en bicyclette à la bibliothèque. Sur le chemin
du retour, il ajoute toujours à son panier
quelques fruits ramassés au pied du grand
pommier. Car Petit Renard est un gourmand.
Il adore les mystères… et les pommes !

Petit Renard passe le reste de
sa journée à lire en croquant
ses fruits préférés...

... et en imaginant que
lui aussi aura un jour
une énigme à résoudre.

Chaque nuit, dans son lit douillet,
Petit Renard rêve de mystères...
Hélas, il ne se passe jamais rien.
Tout est si calme dans sa vie !

Pourtant, une certaine nuit,
tandis que Petit Renard dort
à poings fermés... trois petits
coquins dévalisent le pommier !

Bonjour,
Petite Souris !

Le matin suivant, Petit Renard se lève
de bonne heure, comme d'habitude,
et part à la bibliothèque sur son vélo...

Comme d'habitude, le voici qui passe
près du grand pommier mais... tiens, tiens...
quelque chose semble différent.
Petit Renard ouvre l'œil. **Oui, vraiment,**
pas de doute : quelque chose a changé...

Ça y est, il a trouvé : toutes les pommes
du grand arbre ont disparu !

**Enfin un mystère
à élucider pour
Petit Renard !**

Petit Renard démarre aussitôt l'enquête.
Il commence par prendre quelques photos de l'arbre et des environs.

Mais... qui arrive à petits pas fripons ?

Salut, Petit Renard !

Désolé, Petit Ours !
Je suis occupé.
Je n'ai pas le temps
de bavarder
ce matin.

À présent, cherchons des indices !
Petit Renard sort de son sac à dos
sa loupe de super-détective. Cela fait
si longtemps qu'il rêve de l'utiliser !

Oh ! Oh ! Quelqu'un approche, dirait-on...

Coucou, Petit Renard !

Bonjour, Petit Loup !
Désolé, je n'ai pas
le temps de parler !

Il ne reste plus qu'à interroger les témoins.

Alors, mademoiselle, avez-vous remarqué quelque chose cette nuit?

Euh... non, je dormais!

**Hou-hou...
Petit Renard ?**

Non, Petit Hibou !
Pas le temps de causer.
Désolé!

Ouh là là ! Cette enquête
est plus compliquée que
Petit Renard ne l'imaginait…
Que faire ?
Et pourquoi ne pas demander l'aide
de son copain, Petit Lapin ?
Il est très fûté !

Mais à peine arrivé chez Petit Lapin, une drôle
d'odeur vient chatouiller les narines de Petit Renard.

Il remonte la piste… snif, snif…
c'est une odeur qu'il connaît bien… snif, snif…
c'est une odeur vraiment… mmmh… délicieuse !

Snif, snif !

Mais oui ! C'est l'odeur
de son dessert préféré :
une tarte aux pommes
toute chaude !

Et voici Petit Ours, Petit Loup et Petit Hibou !
Tous les copains de Petit Renard
se sont réunis et commencent à chanter :

JOYEUX ANNIVERSAIRE, PETIT RENARD !

Oups ! Petit Renard avait complètement oublié
que c'était son anniversaire aujourd'hui.
Maintenant, il sait où sont passées les pommes
du grand pommier. Il a résolu l'énigme, bravo !

Petit Renard fait la fête avec ses amis.
Mais, tiens-tiens... c'est étrange... la tarte
aux pommes a complètement disparu.

Seulement, ce mystère-là n'est pas
très difficile à expliquer, n'est-ce pas ?
Devine qui sont les coupables !